Edición original: **OQO editora**

Alemaña 72 | 36162 Pontevedra
Galicia | ESPAÑA
T +34 986 109 270 | F +34 986 109 356
OQO@OQO.es | www.OQO.es

Diseño | Oqomania
Impresión | Tilgráfica

Primera edición | julio 2009
ISBN | 978-84-9871-160-8
DL | PO 447-2009

A mi padre, que nunca intentó ponerme una máscara. **M. M.**

texto de **Margarita del Mazo**

ilustraciones de **Paloma Valdivia**

LA MÁSCARA DEL LEÓN

OQO editora

En lo más profundo de la sabana,
a la sombra de una vieja acacia,
nació un león.

Era pequeño,
porque los leones nacen así:
no tienen melena,
no tienen dientes…

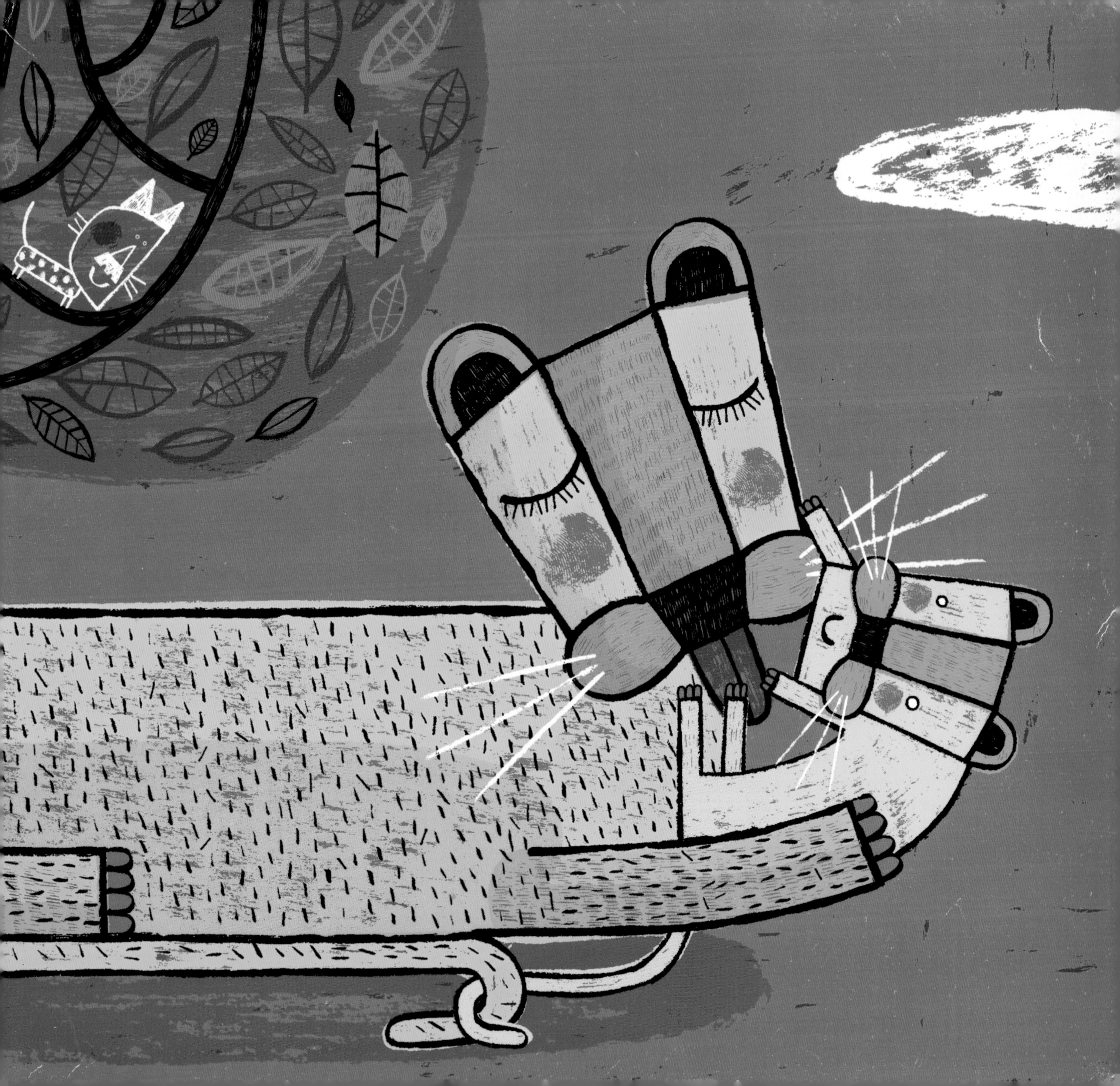

Tomaba mucha leche
y crecía poquito a poco.

Aunque era pequeño,
a Papá León le parecía grande y fuerte como él.
Lo miraba orgulloso y decía:

– ¡Serás un auténtico Rey de la sabana!

Pasó el tiempo.

Leoncito se hizo un poco más grande y más fuerte.

Le creció una melena frondosa,
y le salieron dientes afilados, como los de papá; pero…

tenía algún problema.

En su cara había siempre una sonrisa enorme
que le hacía encontrar amigos por todas partes.

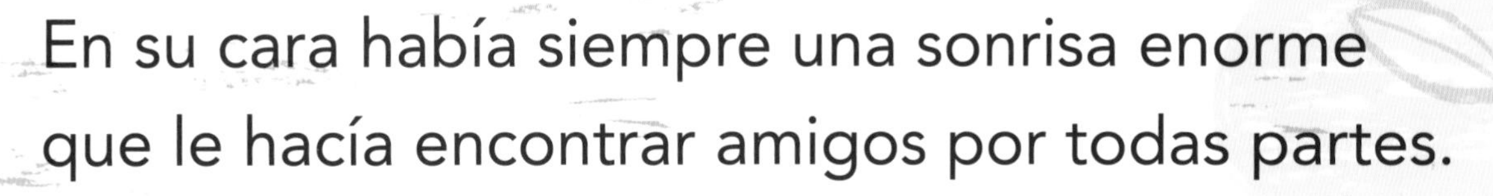

Papá León rugía:

– ¡GRRR…!
¡No puedes ir por ahí riéndote como las hienas!
Un león de verdad tiene que dar miedo.
¡Así nunca serás Rey de la sabana!

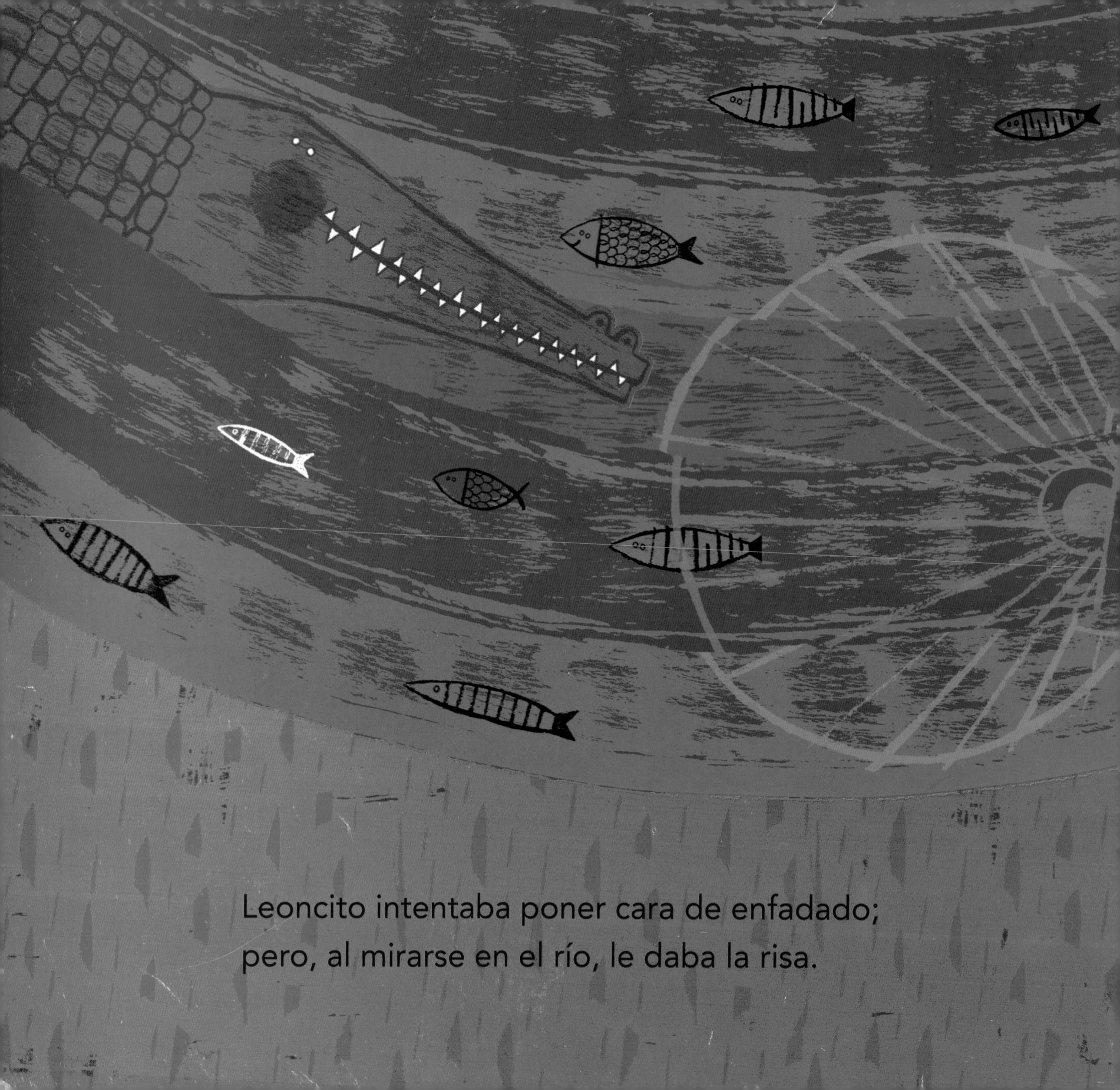

Leoncito intentaba poner cara de enfadado;
pero, al mirarse en el río, le daba la risa.

Otro problema de Leoncito era su rugido.

Cuando Papá León rugía, la sabana temblaba y los animales se metían en sus escondites.

Cuando Leoncito intentaba imitarlo,
nadie quería perdérselo
porque siempre le salía:

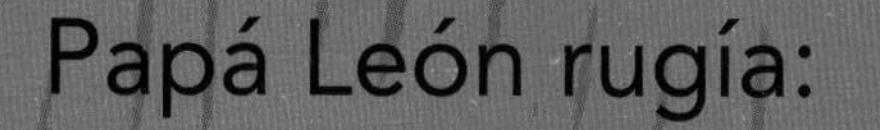

Papá León rugía:

– ¡GRRRRR…!
¡No puedes ir por ahí maullando como los gatos!
Un león de verdad tiene que dar pánico.
¡Así nunca serás Rey de la sabana!

Leoncito ponía cara de rugido,
pero sentía cosquillas
y se echaba a reír.

El tercer problema de Leoncito era el más grave:

su mejor amiga era una cebra rayada,
con la que jugaba al pilla-pilla
(las cebras son expertas en este juego).

Papá León rugía:

– ¡GRRRRRRR…!
¡No puedes ser amigo de una cebra!
Un león de verdad se la comería.
¡Así nunca serás Rey de la sabana!

(En esto, Leoncito no podía practicar
porque lo que siente el corazón no se practica.)

Una noche,
Papá León fue a visitar al pájaro carpintero
y le encargó una máscara ligera como una pluma,
fría como el odio y roja como la ira.

En siete días, el trabajo estuvo acabado.

El pájaro la envolvió en una hoja grande
y se la llevó a Papá León.

¡Era una máscara terrorífica!

Esa misma noche, mientras Leoncito dormía,
Papá León le colocó la máscara
y pensó orgulloso:

¡Así serás el más temido Rey de la sabana!

A la mañana siguiente,
Leoncito se despertó de una pesadilla
y fue a contársela a su amiga.

La cebra estaba comiendo hierba
con sus hermanas.

Leoncito sonreía,
pero no se le veía la cara.

Entonces alguien gritó:

– ¡Un león!

Las cebras pusieron cara de pánico
y, más que correr, volaron por la sabana.

– **¡Soy yo!** -gritaba Leoncito, desconcertado; pero, con el ruido de la estampida, nadie lo escuchó.

Leoncito no entendía nada,
y se enfadó tanto
que de su garganta salió un rugido
que hizo temblar la sabana.

Desde ese día
nadie se acercaba a Leoncito.
Su corazón endureció como una piedra:
ni él mismo
escuchaba
su latido.

¡Era el más temido de la sabana!

Pero su vida se convirtió en una mala vida,
porque aquello no era vida ni era nada.

Una noche que las nubes ocultaban la luna,
arropados por la oscuridad,
se reunieron todos los animales.

– **¿De dónde habrá salido ese león?**
-preguntó la jirafa.

– **No podemos ni comer tranquilos**
-se quejó el antílope.

– **Estamos arrugados como garbanzos...**
No nos atrevemos a salir del agua
-protestó el hipopótamo.

– **Su rugido no nos deja descansar**
ni de noche ni de día -suspiró un murciélago.

Mientras los animales se quejaban,
ninguno se dio cuenta de que,
agazapado entre la hierba,
estaba su enemigo.

De pronto saltó sobre ellos.

Los animales corrieron sin saber hacia dónde, porque no se veía un pimiento.

Con la presa entre sus zarpas, Leoncito gritó:

– ¡Pillada!

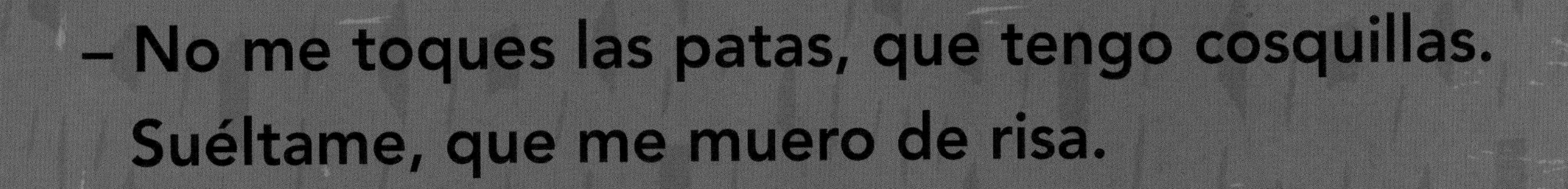

**– No me toques las patas, que tengo cosquillas.
Suéltame, que me muero de risa.**

Aquel animal no paraba de reír,
y el león no podía mover ni un músculo.
Bueno…, se le movió uno, aunque nadie lo viera.
Primero hizo una mueca, luego sonrió…,
¡y acabó riendo a carcajadas!

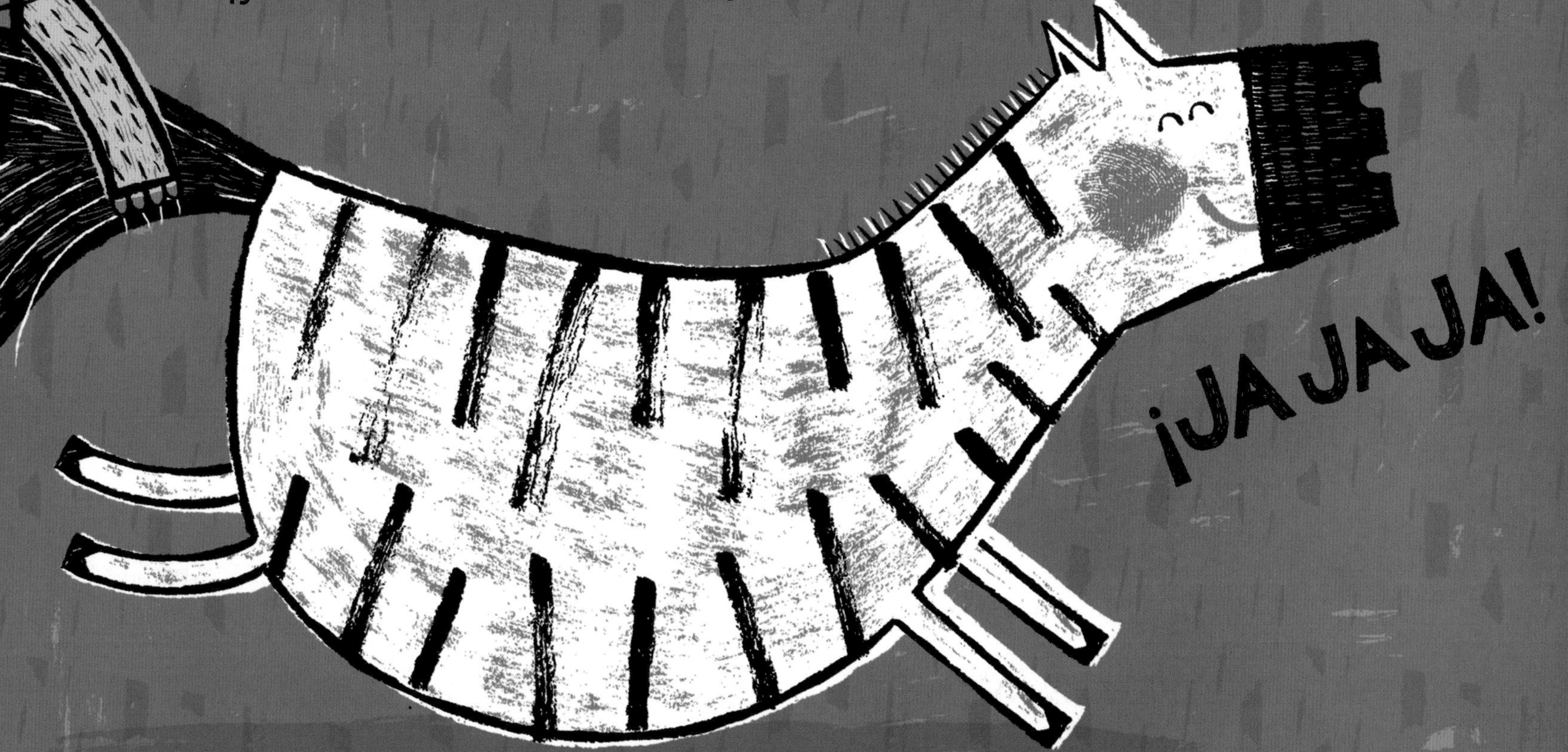

Al escuchar las risas,
los demás animales,
intrigados, regresaron.

No se veía nada;
pero la luna, que estaba muy atenta,
empujó las nubes…,
y entonces descubrieron
que Leoncito había vuelto.

Había crecido,
y su corazón sonaba como un tambor.
Reía como siempre,
mientras le hacía cosquillas
a la cebra, porque...

… la risa tiene magia:
rompe máscaras
y también se contagia.